누가 장주의 꿈을 깨울 것인가

누가 장주의 꿈을 깨울 것인가

강세환 시집

경진출판

차례

누가 장주의 꿈을 깨울 것인가

이곳을 뭐라고 불러야 할까?
시골 평상 같은 곳에 누우면
별이 마구 쏟아질 것 같은
이곳에 누가 있었다는 걸까?
밤하늘이 밤하늘 같지 않고
어둡지 않고
무섭지 않고
인간의 꿈보다 더 큰 꿈의 세계 같고
태초의 광대한 세계 같고
생명이 막 태어나는 것 같고
울음이 막 터지는 것 같은
이곳을 어떻게 불러야 할까?
이게 꿈이라면
누가 이 꿈을 깨울 것인가

미제(未濟)

나의 한국문학사 미제 사건 하나
김종삼 영결미사 전
길음 성당 정문에서
황동규 선생한테
눈 맞은 머리를 숙이며 인사했던
'허황되고 멋진 청년'은 누굴까?
김종삼 떠나고 나면
앞으로 무슨 맛으로 살죠?
그 문청은 누굴까?

이십 년 전 어느 초겨울 서초동 예술의 전당
자선 시 낭독하던 중
딱 이 구절에서 황 선생은 장석남 시인이라고 했다
장석주 시인이라고 알고 있었는데
아닌가

수컷의 운명

ebs에서 수컷 생태계를 방영했다
수컷의 세계
늙은 수컷 코끼리가 저 끝에 혼자 있었다
가족들 틈에 끼지 못하고
몸이 힘들었나
힘이 빠졌나
저 끝이 아버지들의 모습이었다
바람이 불어도
간혹 바람이 불지 않아도
아프리카에서도 동양에서도 서양에서도
수컷은
다들 그렇게 사는 것 같았다

서울 창포원 1

지금 7월 말 매미소리 극치
쉿!
저들의 소리에 다들 조용하다
쉿!
어떤 소리에 대한 예의라는 것도 있다
질투나 어깃장도 끼어들 틈이 없다
바늘 하나 꽂을 데 없다
빈틈이 없다
목숨을 다하는 것 같다
생을 걸었던 것 같다
불퇴전의 용기도 저런 것 같다
용맹정진도 저런 것이다

서울 창포원 2

평상에 있다 보면
밤 10시 넘으면 축구 동호회도 가고
배드민턴 짝꿍들 가고
반려견 데리고 나온 주민들 가고
저기 운동기구 이용객 가고
도봉도 가고
밤 12시 넘으면
그리고 남은 이 시간은 무엇이 되어야 하나
좀 남은 어둠은 무엇이 되어야 하나
이 꿈은 어느 별이 되어야 하나
저 별은
어느 먼 곳에 있어야 하는지
누구의 꿈이 되어야 하는지

서울 창포원 3

여기서 굳이 해도 될지 모르겠지만
이제 시를 믿지 못하겠다면
그동안 속고 살았다는 말씀 아닌가
그게 아니면
계속 속고 살 수 없다는 말씀인가
가령
요식업계는 요식업계의 논리가 있고
저인망 업계는 저인망 업계의 논리가 있고
정계는 정계의 논리가 있다는 말씀
말씀은 관두고
시간 됐으면 마이크 내려놓으라는 말씀
늙으면 곱게 늙어야 한다는
그 말씀하자는 것
개그맨이 배달도 하고
내가 아는 동양화가는 정수기 팔러 다닌다는
말씀 하자는 것
목구멍이 포도청이라는
이 말씀

서울 창포원 4

이제 오늘이 다 가기 전에
헤어지기 전에
괴로움은 괴로움 곁에 두고
외로움은 외로움 곁에 두고
심심함은 혼자 사는 권태 곁에 맡겨두고
일어나자
일어나자
이 어둠 속에서 한낮의 태양처럼
다시 일어나자
끝은 없다
울어도 그대가 울어야 하고
웃어도 그대가 웃어야 하고
때려치워도
그대가 때려치워야 한다

카페에서 1

조용한 카페에서
시집 원고 마지막 교정보고 있었는데
(갑자기) 옆에서 뒤에서
위에서도 난리다
하계올림픽 순위, 스페인 여행 얘기
자동차 접촉 사고 얘기
시아주버니 얘기
감자전 해 먹은 얘기
이 소란 속에 원고를 더 읽어야 하나

자꾸 신경 쓰인다
아무도 신경 안 써!
알바 생도
옆자리도 뒷자리도 자기들 얘기 하느라
아무도 신경 쓰지 않는다
그냥 해!
집에 들어가야 하나
어디 입주 작가 자리라도 알아봐야 하나

카페에서 2

곧 헤어지기 직전 사람들처럼
아무 말도 하지 않는다
물경 두 시간 동안

남자는 손깍지를 머리 뒤로 올려놓고
(뭔가 꽉 누르고)
여자는 등을 한 번 긁었을 뿐

내가 객석에 앉아 있는 관객처럼
커피 한 잔 마시는 동안
창밖을 내다본 것보다 더 많이 본 것!
저 텅 빈 장면!

덧없이 흐르는 강물 같은
슬픔도 서글픔도 의미도 무의미도
격랑 속에 묻힌 파묻힌 듯
배역이 끝난 배우처럼

수유천

홍상수 영화 〈수유천〉 다 보고 일어났는데
수유천 물소리 아니고
장어집 아니고
아무것도 안 보이던 캠퍼스의 어둠만 남아 있다
그 어둠이 남아 있고
배우들 앉아 있던 벤치 뒤의 단역배우처럼
서 있던
플라타너스 두어 그루 남아 있고
그 나무처럼
나는 이런 사람이 되고 싶다는
그녀들의 즉흥시만 남아 있다
그녀들의 삶, 사랑, 울먹임, 길, 눈물, 웃음, 자존심…
무슨 그림자처럼
무슨 꿈처럼
그리고 또 마지막 대사 한 줄만 남았다
김민희 육성만 남았다
"아무것도 없어요. 정말 아무것도 없어요."

난세

강릉역 대합실 맨 뒷자리에서
가부좌한 꽁지머리
어느 산골짜기와 통화 하는지
혼자 중얼거리는지
목소리 하나는 카랑카랑하다
우선 부당한 자들을 처단해야 하고
지금 이 세상이 노론 소론 같은
여야 마주보고
당파싸움 하자는 것 아닌가
그대는 그 이면을 모르겠는가
우크라이나와 러시아 전쟁
러시아 자금 어디서 나오는지 모르겠는가
난세다 난세야
곳곳에 지뢰밭이라더니
그냥 가자

이 좋은 사람

담배꽁초 하나 아무데나 버리지 못하고
담배 곽 비닐에 넣어서
들고 다니는
내 친구
너무 오랫동안 모범생인 내 친구
내가 버린 담배꽁초까지 주워서
제 담배 곽 비닐에 집어넣던
친구

너는 스스로 틀을 만들었는가
우리의 시선으로 만들어졌는가
네가 자유롭다면
너는 좋은 사람이야
시를 읽지 않아도
술을 끊었다 해도
칠십 넘어 어디 알바 자리 알아본다 해도
낮잠 자다
번개 모임 문자 씹었다 해도

새벽 세 시

아파트 놀이터에서 한 시간째 떠들고 있는
이 밤에 저들은 누굴까
이 시간은 나의 것인가
저들의 것인가
간간이 어둠을 뚫던 웃음소리도 들리던
나도 어둠을 뚫고 나가보았다
짙은 어둠 속이었지만
그네에 앉아 있던 고등학교 2학년쯤 된
두 명의 남학생이었다
이 밤은 그대의 것이다

세계테마기행

―노르웨이 편

"단순하게 살고 싶어요!"
나도!
나도!

너도 나도 어쩌면 우리는 턱없이, 덧없이, 넋 없이,
뭣도 없이 복잡하고
까닭 없이 복잡하고
아무짝에도 쓸데없이 괜히 복잡하게 산다
아닌가
아닌가

학교에서 배운 게 너무 많은가
직장에서 하는 일이 너무 많은가
집에서 하는 일이 너무 많은가
나랏일에 신경 쓰는 게 많은가
인간관계가 너무 복잡한가
너무 많이 먹고 너무 많이 쓰는가

꿈속에서

꿈속의 민박집 마당에서 들리던
중국 소수민족의 말소리가 들렸다
가끔 조선족도 들렸다
깜놀
여기가 도대체 어디쯤 되는 걸까

어깨, 걸음걸이, 모자, 생수병, 휴대폰 들고
여긴 또 어디쯤이라는 걸까
중랑천변 산책 중이던
저 깍두기 흰머리 노인 아니었으면
꿈밖이었을 텐데…

"저 혹시 시 쓰는 강세환 씨 아니시오?"
한 번도 만난 적은 없지만
문학잡지에서 보았던 얼굴을 알고 있다면서
종이컵 커피 건네던 노인
꿈속의 일이 꿈 밖의 일 같을 때도 있더군!

선량한 취객

수락산역 1번 출구 계단
한 남자 주저앉아 있다
산에 다녀오는 길 같다
저 배낭은 그의 앞에 푹 쓰러져 있고
배낭에서 흘러나온 천도복숭아
하나 둘 셋…
세 번째 복숭아는 반쯤 먹다 남은 것

"아저씨! 술 취하셨어요?"
"경찰관 불러 드릴까요?"
그가 내 손을 덥석 잡았다
"고맙습니다"
흘러내린 복숭아를 배낭에 넣어줬다
"벽에 좀 기대고 앉으세요"
"네!"
그도 어딘가 좀 기대고 싶은 것이다

고모리 카페 제빵소

김종삼 시비가 보이는 카페
팥빙수만 조용히 떠먹는 노부부가 있다
달그락거리는 소리만 들릴 뿐
부부의 말소리도 들리지 않는다
조용히 팥빙수만 떠먹는
숟가락과
유리그릇 부딪치는 소리만
겨우 들릴 뿐!
얼마나 같이 살아야 저렇게 늙을 수 있을까

나도 저 나무처럼 우두커니
숨죽이던
가볍고 또 시원하던 속 시원하던
한 여름밤의 꿈

이 또한 지나가리라

서울 창포원 평상에 앉아 있는데
옆의 옆의 노인이
찬송가 유튜브 틀어놓는다
저 혼자 듣겠다는 게 아닌 것 같고
옆의 젊은 여자는 일어났고
누가 얼마나 더 버티는가 보자
누가 이기는가 보자
끊임없이 주를 찬양하리라
끊임없이 주를 찬양하리라
유령이 출몰했다
유령이 출몰했다
반려견과 같이 중년여자도 일어났다
나도 일어났다
평상에 있던 모든 사람들이 일어났다
끊임없이 주를 찬양하리라
끊임없이 주를 찬양하리라

이런 시

편집부에서 누군가 말했다
누군가 내 시집 교정을 보면서 말했다
이거 다 지켜야 하나
띄어쓰기는 너무 힘들다
이거 무서운 억압이다

그래 그렇다면 이상(李霜)처럼 쓰자
「오감도」처럼 쓰자
제1의아해가무섭다고그리오.
제2의아해가무섭다고그리오.
제3의아해가무섭다고그리오.
(…)

손끝

상봉역에서 ktx 환승하는데
제복 입은 안내원이
손끝으로 에스컬레이트 쪽을 가리켰다
나는 가파른 계단을 향했다
...
계단으로 오르는 사람은 나밖에 없다
그는 그의 일을 했고
나는 나의 길을 택했을 뿐이다
다만 식당이나 마트에서
그런 일이 좀 빈번하다는 것

돌아보니 그는 또 손끝으로 승객을 안내하고 있었다
손끝으로 한 곳을 얼마나 가리켜야 하고
한 자리에서 또 한쪽을 얼마나 쳐다보아야
저렇게 한없이 부드러워지는 걸까

수락산 생선구이집

탁자 위에 대기자 명단 노트가 있는데
한 번은 김관식 썼고
한 번은 백석을 썼다
김관식 씨 부르면 내가 일어났고
백석 씨 하면 그가 일어났다

우리는 김관식처럼 또 백석처럼
수락산 둘레 길을 걸었다
대화 내용은 주로 현 정국에 관한 것이었고
가끔 구청 업무에 대한
민원성 의견도 개진했지만
그냥 두고 내려왔다

기억의 끝

혜화동 서울대 병원 본관 1층
아버지 모시고 수개월 드나들던 본관 1층 저쪽
쳐다보지 않았다
이십 년도 훨씬 더 지나간 저쪽 일이다
담배 피우러 나갔다 들어갔다 하던
저 현관문
담배 좀 안 피우면 좋겠는데…
(저 담배 때문에 버티는 거예요!)
손이라도 좀 씻고 다닐 걸
입이라도 좀 헹구고 다닐 걸
고3 담임과 학년부장도 겸해서 하고
이 큰 병원에 연줄 하나 없던
하루가 천 리 길 같던 시절
깊은 동굴 속 같던
꿈 비슷한 것도 꿀 수 없던…
아버지는 내게 싫은 소리 한 번 꺼낸 적 없었지만
나는 아버지 앞에 싫은 소리 뱉은 적도 많다
아주 못돼 먹었다

백지의 유혹

좀 근사한 한정식 집에 가면
스케치북만한 백지를
깨끗한 식탁보처럼
한 장씩 깔아놓는다
나는 수저 세트를 갖다놓기보다
뭔가
한 줄이라도 끄적거리고 싶다
그냥 그 백지를 들고 집에 와서
끄적거린 적도 있다
직업병이라면 그래도 괜찮겠는데
또 뭔가 티내는 것 같다면
관두어야 하겠다
A4 이면지에 끄적거린 적은 많다
이것도 집착인가

신경림을 생각하다

1.

작가회의 부고 문자 받고 그날 오후 서울대병원 장례식장
영정 사진 앞에 분향하고 등단하기 바로 전 여름
인사동서 처음 뵐 때 생각하면서
천천히 한 번 절하고
시인의 삶이란 무엇인가 생각하면서
또 한 번

어느새 내 등 뒤에서 상주보다 더 상주처럼 문상객 응대하던
80년대 후반에 만났던 K 시인
　복도에서 마주치자 큰소리로 내 이름을 호명하던 또 K 시인
　80년대 영원한 총장한테 눈도장 찍었으니…
　"총장은 무슨 총장! 따까리!"

어느 자리에 끼어 앉을까 하다 낯익은 옛 동지들 뵈지 않아
들어갔던 동선 그대로 되돌아 나오는데
　신발 신고 막 돌아서는데
　"오셨어요?"
　어느새 등 뒤에서 검은 상복 차림의 강원도 후배 A 시인

"시 많이 쓰던데…."
왠지 낯선 문상객 틈에 끼어 술잔 기울이는 것보다
그냥 식장 밖에서 담배나 한 대 피우려고 나왔다
또 80년대 L 시인
"요새 누가 담배 피우나!"

2.
오래 전 마치 저 세상 밖에서 이 세상을 들여다보듯
　새까만 후배와 격의 없이 한 잔하고 한 잔 더 하고
　정릉 명호 호프집에서 막 나와 아파트 에스컬레이트 오르던
고인의 뒷모습…
　하염없이 바라보던 그날처럼
　이제 세상 밖을 어색하게 나서는 이상한 낙타 등 위의 낯선 행
자처럼
　자세히 보면 환하게 웃고 있는
　이 세상 다시 한 번 돌아볼까 하고 나도 천천히 돌아보고 있
었다

3.

아현동 작가회의서 뵙던 선배님이시죠?

아 한길문학 J 시인?

그의 입에서 신경림, 백낙청, 김남주, 이시영, 최두석, 임동확,
이소리 등등 막 쏟아져 나왔다

담배 한 대 더 피우자

4.

이틀 후 영결식 직후

그날 좀 참았던 술 소맥 한 잔 또 한 잔

시 낙타 만장 옆에서 한 잔

담배 한 대 하고

밤 10시 넘어

오랜 문우 L 시인을 붙잡고 한 잔만 더 하자

어떻게 이렇게 찢어질 수 있냐?

딱 한 잔만 하자

대학로 횡단보도 건너자마자 치킨 집

여기 말고… 아 저기다!

편의점 야외 탁자 앞에서 소맥 한 잔 한 잔 더!

'삼포 가는 길'
잔뜩 가라앉은 그의 나지막한 노래
한 잔 더!

5.

빅토르 위고 장삿날
파리 뒷골목을 헤매던 청년들을 위무해준 이들은 누구였을까
그 문청들과 그 백의종군한 이들과 함께 한 잔 더!
누가 그들의 맑은 눈물을 닦아주었을까
오늘은 이 뒷골목에서 누가 울 것이며
누가 누굴 위무해 줄 것인가
누가 서울의 뒷골목을 헤매고 다닐까
이 밤에 누가 골방에서 한 잔 하고 있을까
누가 울고 있을까

6.

영결식 중 바로 내 옆자리에서 연신 손수건으로 눈물을 훔치
던 시인과 또 옆자리에서 손등으로 눈물을 찍어내던 시인과 내
손을 한번 슬몃 잡아주던 시인의 이름은 공백처럼 비워두어야

하겠소

　이제 시인은 또 하나의 별이 되었거나 꿈이 되었거나

　낙타가 되었거나 시가 되었거나

　그도 알고 있으리라

　나도 알고 있으리라

　7.

　살아서도 죽어서도 신화가 없던 시인!

　그 어느 날처럼 오전에 등산 갔다가 등산복 차림으로 문단 후
배 혼사에 참석하던

　불콰한 얼굴로

　"산에 갔다 한잔 했어!"

　술 한잔한 얼굴에 단아한 걸음으로 밝게 아주 밝게

　마치 그날처럼 에스컬레이터 타고 저기 꿈속으로 들어간 것
같다

　뒤에 남은 자들을 향해 손 한 번 번쩍 들어줄 것 같다

　그의 손이 조금 떨리는 것 같다

　이내 또 주먹을 콱 쥐는 것 같다

　건필하라!

독야청청

시인 둘이서 상계역 골목을 걸었다
난데없이 비가 쏟아졌던가
신작 시집 막 나오던 날
시집 나왔다고 누가 알기나 할까?
한국 문단이 알고 있겠지
천지신명이 알겠지
저 밖에 뭐가 있다고 생각할 때가 있다
좀 지나면 챗지피티가 알겠지
두어 번 또 혼자 읽어야 하겠지
그럴 땐 내가 무지 고맙고
또 미안할 뿐이다
이 골목에 시인 둘이만 남은 것 같다

은유의 힘 1

모 의사 선생이 환자에게 아래와 같이 말했다는데
환자도 보호자도 마음이 편했다기에
그대로 옮겨본다
몸이 아프면
환자도 보호자도 서럽고 또 불안하겠지만
문학과 의학이 잠시 만나는 것 같아
이 한순간!
도저히 그냥 넘어갈 수 없었다

불을 끄려면 불을 끌 만한 물을 뿌려야 하지 않겠나
그것도 초기에 물을 뿌려야 한다

은유의 힘 2

이런 호르몬 증상은
이렇게 사선으로 쭉 내려가고
올라가는 게 아니라
올라갔다
(…)
또 내려갔다 하는 것

시보다 더
먼 데 있는 것도 있다
꿈보다
더 먼 곳에 있는 나무도 있다
날이 저물어도
꿈도 그렇지만
나무도 돌아오지 않는다

불면

오후 커피 한 잔 했는데
불면
지금 새벽 네 시
커피 한 잔 이기지 못하는 나이가 되었다
시집 뒤의 토막 글 하나 쓰고
다시 눈 좀 붙여보지만
불면
불면
꽃이 피어나는 시간도 아니고
날이 밝을 시간도 아니고
꿈을 깰 시간도 아닌데
이런 시간이라면 더 가라앉을 것도 없고
더 날카로울 것도 없다
시 한 줄 없는
여기까지 이 시간을 뭐라고 해야 하나

불화

당신 손에 들어가면 왜 남아나는 게 없냐?
어떻게 했길래 죄다 망가뜨리고 난리냐
내 손에 들어온 것을
내가 부러뜨린 것도 아니고
망가뜨린 것도 아니고
팽개친 것도 아닌데
내 손에 들어오면 뭔가 망가진다는 것
탈이 난다는 것
우산, 구두칼, 가위, 머그컵, 손풍기 등
당신 아닌 사람이 잡으면 그럴 리가 없다고*
그 말을 하지 않았지만
그 말만 하지 않기를

*김종삼

시인 추방론

국내 유수 문학상 한 번 넘보지 못한
시인 둘이서 한다는 소리를
등 뒤에서 들었다 해도
혹시 지나가는 개가 들었다 해도
개소리다
그 헛소리 집어치워라 할 것 같다
모자 눌러쓴 모 시인부터
시인이 나라를 팔아먹지 않은 한
용서하자
등산 재킷 입은 모 시인
시인이 나라를 팔아먹었다 해도
용서하자
독자 중에 누군가 한참 뒤에 들었다 해도
다 해 먹어라
그 입을 닫고 이 땅을 당장 떠나라
(떠나라)
무슨 구호 외치듯 한 마디 더 할 것 같다
(꺼져!)

7호선 도봉산역 창포원

2024. 6. 17 오후 일곱 시
혼자 앉아 있는 등산복 차림 여자
또 혼자 앉아 있는 여자
맨발로 걷는 여자
평상에 혼자 누워 있는 여자
또
누군가 다 큰 소나무를 안아본다
그리고 셀카를 찍는다
어느 남자는 의자 팔걸이를 짚고
엉덩이 들었다 내려놓는다
심심함을 저렇게 견디는 사람도 있다
참고할 일이다

어느 배낭에 대한 소회

독일 바이에른에서 왔다는 모녀
강릉행 KTX
이십팔 인치짜리 캐리어 아니라
얼추 제 키만한 커다란 배낭
앞에 또 배낭 하나씩
저 짐을 앞뒤로 감당한다는 게 놀랍다
분데스리가
아우토반…
그보다 저 짐을 감당하는 저들의 힘이 놀랍다
조선 사람이 쓸 수 없는 힘이다
베토벤, 괴테, 릴케, 하이네, 하이데거…
감당하지도 못할 말을 꺼낸 것 같다
그냥 창밖이나 내다볼 걸!
강원도 산이나 볼 걸!

청색 글씨

한여름 지하철 1호선 의정부행
셔츠 소매가 왼쪽 손목까지 흘러내린 곳에
가느다란 청색 타투
뭐라고 써놓은 걸까
아랍어 같기도 하고
라틴어 같기도 한
티베트 불교 경전 한 줄 같은
타투
그런데 무슨 파문처럼 움직이는 것 같고
조금씩 꿈지락거리는 것 같고
혼자 중얼거리는 것도 같은
새해 다짐 같기도 한
좌우명 같은 것

궁상과 공상 사이

동두천행 1호선 전철
선 채로 독서 중인 원로 시인 1인
자리에 앉아 독서 중인
청년 1인
청년 옆의 빈자리에 다가가려는데
내려야 할 곳
도봉산역
서울 창포원 세 번째 평상
나의 자리
밤이 되면 또 하나의 하늘이 열리는 곳
해가 바뀌면
톈산산맥을 넘진 못해도
가도 가도 '버려진 곳'
중국 신장 위구르 타클라마칸 사막
갈거나
알프스산맥을 넘을거나
항공권 앞에 탁 내놓고 말해라
넵!

처용 변주

하릴없이 오후가 되면
시가 되지 않을 때
내 다리도 긁어보고 또 남의 다리까지
긁어야 하는가
내 다리만 긁고 또 긁어야 하겠는가
더 늦은 오후가 되면
해 다 저문 강변에 나가
남의 다리 같은 자작나무를 바라보았다
바람은 난데없이 서쪽에서 불어오고
한 번 더 돌아보면
시가 될 것 같아서
자작나무를 크게 안아 보았다
등도 한번 두드려보았다
고맙다
고맙다

새벽 세 시의 알리바이 1

새벽 세 시의 알리바이 2

오래전에 썼던 시의 제목이다
시는 당연히 잊어먹었고
제목만 남은
시
무슨 바람이 불어서 이 시의 공백을 채워본다
알리바이 댈 것도 없으면서
뭔가
알리바이 사건을 하나 만들어본다
가령
이 새벽에 누굴 만나거나
메일을 보내놓거나
꿈을 꾼다거나
근린공원까지 나갔다 온다거나
저 나뭇가지에 새가 앉았다 갔다거나
기왓장 깨지는 소리를 들었다거나
빗소리를 들었다거나

명절 증후군

퇴직하던 해부터 명절이 되기도 전에
일주일 전쯤 되면
부담도 되고
지난 해 명절도 생각나고
그때 그 일이 또 물밀 듯이 다가오고
후회도 되고
두통도 조금 있는 것 같고
하루 전쯤엔
우울감이나 불안감보다
어떤 분노마저 치밀어 오를 때가 있다
음식을 장만하는 것도 아닌데
장시간 운전하는 것도 아닌데
과음하는 것도 아닌데
친척들과 불목하는 것도 아닌데
공허감이나 허탈감도 없는데
그냥 또 겪게 되는 것 같다

오천 원

도봉시장 식당 집 아이가 탁자 사이를 왔다갔다 하길래
오천 원짜리 하나 꺼낼까 말까 하니까
요새 누가 오천 원짜리 주냐 만 원은 줘야지
집사람의 말이다

수중에 만 원짜리 없다 해도
혹시 만 원짜리 있었다 해도
오천 원 주려고 했던 손이 부끄럽다
얄팍한 마음이 더 부끄럽다
칠십을 넘어도
만 원짜리 한 장 쓰는 게 쉽지 않다
오천 원짜리!
오천 원짜리!

안경을 위하여

옆자리 청년의 통화 소리가 들렸다
어제 거기서 술 마셨는데…
습득물 중에 안경 없나요
검은색 뿔테 안경, 도수는 좀 높은데…
네네
비슷한 것도 없다고요
네네
다른 데 알아보라고요
네네

혹시 안경을 못 찾았다 해도
시는 써야 하겠다
안경을 찾는데 하나도 도움이 안 되겠지만
어딘가 있을 것만 같은
그 안경을 위해
시를 써야 한다

오른손이 한 일을 말하다

도봉산 입구 등산용품 가게 앞에서
등산용 스틱 앞에서
작은 박달나무처럼 서서
자꾸만 망설이던
스틱을 들었다 또 내려놓던
어느 수녀님
수녀님 앞에 내 카드를 슬멋 내밀었다
이거 주세요
글라라 수녀 누나 생각나서…
수녀님! 세례명 어떻게 되나요?
글라라 수녀!

사랑의 뿌리

돌 막 지난 사내아이를 안고
객실을 왔다 갔다 하는
애기 엄마
애기도 엄마도 당당하다
벌써 몇 정거 지났는데
칭얼대던 아이는 잠도 안 들고
지하철 소음이나
승객들 구경이 한창이다
그럼 그렇지 착하다
이제 눈을 좀 붙인 것 같다
짝짝짝
엄마 팔 떨어지겠다
여기저기 승객들 자리에서 일어난다
나도 일어선다

수어극

기회가 된다면
대학에서 수어 공부하고 수어 자격증 땄다는
옛 제자와 함께
수어극 단편 하나 올리고 싶다

아님
무대 위에서 주먹 쥔 손을 가슴 언저리에 대고
쭉 동백나무처럼 서서
'3분 27초' 되면
무대에서 천천히 내려서는 것

김민기를 생각하다

이십 년 전
김민기 하고 김 모 시인과 한 테이블에 앉아
셋이서 홀짝홀짝 맥주를 마셨다
결혼식 날 아침
〈아침이슬〉엘피 레코드판 틀어놓고
같이 부르고나서 결혼식장 갔다 했더니
김 모 시인 왈 그게 뭔 대수냐
그땐 다 그랬다 하면서 한 방에 뭉개버리더라
괜한 소리 하는 바람에
나만 우습게 되었다

그러나 그날 이후 그 노래를 편하게 대하게 되었다
오래된 비번을 해제한 것처럼
뭘 하나 놓아버린 것도 같고
저 거친 광야에 갖다버린 것도 같고
뭘 내려놓은 것도 같고
툭툭 털어버린 것도 같고…

봄날은 간다

뭘 광고하는지 모르겠지만
저 광고 문장은 참 조오타!
휙 지나가는
시내버스 차벽 광고판
내가 잘못 봤나?
"남들이 정해 놓은 기준 깨고 싶어라"
방금 지나갔지만 웃고 있는 이
아이유(?)
내가 뭘 또 잘못 봤나?
내가 뭘 잘못 먹었나?
꿈에서 봤나?
"남들이 정해 놓은 틀을 깨고 싶어라"
금방 지나갔지만 저런 문장을 보면
나도 뭔가 확 깨고 싶다

나도 이런 TV 하나 갖고 싶다

강세환 TV

…

매주 수요일 신작시도 낭독하고

가끔 김수영 시도 읽어주고

김종삼 시도 읽고

이 달의 시와 시인도 발표하고

특정 장소와 관련된 시를 찾아가는 다큐도 올려주고

이게 그렇다면 페이스북 아닌가

유튜브 아닌가

그러나 그것은 아닌

그것과 좀 다른…

어떤 광고나 유료 회원도 없이

일정한 수입원도 없이

독자도 없는

뜬구름과 맨주먹과 무수골 물오리나무 두어 그루와

7번 국도와 동해바다와 소금강 폭설과

강원도 산과 들녘과 큰 파도와 연대하여

끝까지 갈 것!

삶의 한순간

중학교 동창생 자녀 혼사 갔다가
뷔페 먹고
종이컵 커피 들고
로비에 서서
담소 중
"우리 강 시인은 한 백 살까지 시 많이 써라~!"
이름은커녕 대표작도 없는
시인의 형편을
가까운 친구들이 먼저 아는 것 같다
더 잘 써야겠다는 생각만 하다
뒤풀이 호프집에서 술을 마셔도 안 취하고
마시긴 했지만 끝까지 안 취하더라
술이 안 취할 때가 있다
견딜 수 없을 때도 있다

수락산 귀임봉

아무것도 없다
아무것도 없어서 더 크게 보이는 게 있다
이십여 년 전 어떤 산사람 같던 중년 남자가
저 바위 옆에서 막걸리 팔던…
또 있다
큰 배낭에 벽돌, 건축 자재, 공구 등속 잔뜩 집어넣은
산행을 무슨 수행하듯 오르던
기인을 만난 적도 있다
삶을 이렇게 어렵게 살아야 한다고 했던가
어려운 삶을 대비해야 한다고 했던가

퇴근하고 나면 산소가 부족한 물고기처럼 뛰어오른 적도 많았다
세 번째 시집과 네 번째 시집 사이
나는 수락산 귀임봉에서 시를 썼고
또 검은 구름을 보았고 천둥과 번개를 만난 적도 있다
기이한 행색의 여자를 만난 적도 있다
아! 꿈이 죄다 꿈이 되어 버리던 날들

적막

미사 끝날 때쯤 신부님 말씀
여기 계단 두 개 걸어서
제대까지 올라올 수 있는 사람
한글 읽을 줄 알고
눈 밝은 사람
손들어 보세요!
5초 10초…
적막
손드는 사람 한 분도 없음
신자들 다 같이 웃음
허허
미사 끝
아! 주문진 천주교회

그날 제일 뒷자리에 앉아 있던 집사람은 신부님 강론 중에서 유향과 황금과 몰약의 상징적 의미를 아주 잘 들었다고 합디다.

지하철 비상벨을 누르다

노원역 도착할 때쯤
바로 앞의 청년이 털썩 주저앉았다
일어나려다 다시 주저앉았다
일어나서 저쪽 벽에
턱 부딪치며
또 주저앉았다

나는 비상벨을 눌렀고 지하철은 멈췄다
1초 2초 3초…
그때 청년은 후다닥 뛰어 나간다
역무원 뒤쫓아 간다

나는 비상벨을 다시 눌렀다
지하철 출발해도 되겠네요
네 알겠습니다

한 육칠 년 선배 되는 저쪽 노인 왈
"잘 하셨어요!"
누군가 내가 하는 짓을 보고 있었다

혼술

동해시 친구 혼사 피로연

술 마시는 친구들이 확 줄었다

대신 안주를 권하는 친구가 늘었다

연어 한 접시 갖다 주면서

이거 먹어라

엘에이 갈비 갖다 주면서

이거 먹어라

소주 한 병 혼자 다 마셨다

술잔을 내려놓았다

서럽기도 하고

싱겁기도 하고

텅 빈 거울 앞에 서 있는 것만 같았다

오후 두 시

노원중앙도서관
무릎 담요 하고
휠체어에 앉아 책을 읽던 청년도 졸고
마주 앉아 있는
그 청년의 어머니도 졸고
그 옆에서 시집 읽고 있던
나도 졸고
창밖은 맑은 초겨울
아니다
휠체어 청년은 천천히 책장을 넘기고 있었다
그리고 책을 덮었다
하늘이 멋져 오늘은 조퇴*
청년과 어머니 각자 배낭 들고 퇴장한다
이 큰 도서관엔 나 혼자 남았다
나는 섬이 되었다
이 시집을 덮고
나도 퇴장한다

*쥬드 프라이데이 에세이

동서울터미널에서

딸네 집에 왔다가는 애비를 배웅하러 나온
딸, 사위, 다 큰 손주
시골로 내려가는 애비를 향해 인사한다
애비는 창밖을 향해
빨리 들어가!
고개까지 빼들고 창밖을 향해
벼락 같이 또 외친다
빨리 들어가!
딸네 식구는 아무도 듣지 못했겠지만

애비는 못 봤겠지만
승강장에 남은 딸네 가족이 나란히 서서
버스 옆구리를 향해
다 같이 목례를 하고 있다
나도 깜짝 놀라 목례를 하고 말았다
이럴 때 시는 할 일이 없다

7호선

"아파! 아파!!"

한낮의 조용한 지하철을 확 찢어놓던
외마디
청년이 복잡한 객실을 지나갔다
숨이 막혔을까?
목이 말랐을까?

딱 2초 후
다섯 발짝 바로 뒤에서 조심히
조심히 뒤따르던
민첩하게 쫓아가던
중년의 여자

가던 길을 접고 조용히 내려서
종로든 북촌이든 좀 걸어야하겠다
앞에 가는 사람 있으면
딱 다섯 발짝 거리를 두고
걸어가야 하겠다

길음역

하나님의 성경
이마에 큰 사슴뿔만한 팻말을 붙여놓고
성경은 옆에 끼고
길음역 승강장을 걷고 있다
천천히 휘청휘청
팔을 휘저으며
걷는다
길음역에서 보았던 남자
그 사람은 지금도 계속 걷고 있을 것이다
내 나이쯤 된 남자
그가 또 어디에 씌였는지 묻지 말자
너도 나도 어디에 씌였는지 몰라
아무도 몰라
어제도 오늘도 그저 꿈속을 헤매고 다니는지 몰라
나도 몰라

가칭 강원특별자치도 무명시인협회

매 분기 도내 각 지역 순회 신작 시 낭독회 및

분기별 강원지역 문학답사

혹은 도내 특정 장소와 관련된 시를 찾아서

약간의 설렘과 녹슬지 않은 감수성과 떨림과 호기심과 낯섦과
자신만의 삶과 언어와 사유와 외로움과 공백과 이탈과 일탈과
허무와 쓸쓸함과 수치와 치부와 모호함과 밑 빠진 독에 물 붓는
심사와 서러움과 눈물과 웃음과 한국문학에 대한 일정한 자긍
심과 선배 시인에 대한 존중과 클로드 드뷔시는 몰라도 김종삼
과 김수영 전집 다 읽었고 그 시와 시인에 대해 한 시간 정도 쉬
지 않고 말할 수 있어야 하고 인제 출신 박인환도 알고 있어야
하고 이승훈과 이성선도 알고 있어야 하고 몰운대와 외옹치와
남애리와 영진항 정도는 두어 번 가보았고 시집 포함 개인 저작
물 10권 이상 상재한…

쪽파

마들역에서 쪽파를 다듬고 있는 여자
잘 다듬은 쪽파를 비닐봉지에 담아
한 봉지에 이천 원
삼천 원
하루 종일!
아침부터
저녁까지
오직 쪽파를 다듬고 쪽파만 쳐다보는
여자

그냥 바쁘게 휙 지나가면 될 일인데
그게 안 된다
다소 생뚱맞고 매우 사적인 일이겠지만
시를 두고 지나가는 것 같아서
오늘은 날씨도 운세도
지하철의 소음과 침묵도
시가 될 것 같다

노래

누군가 최성수 노래를 부른다
예전에 그랬듯이~
저 이도 예전에 불렀던 노래일 것이다
나무처럼 서서 돌아보았을 것이다
꿈도 없지만 꿈같은 것도 없다
기약 없이 떠난 자는 알 것 같다
오는 것도 없고 가는 것도 없다
황제의 꿈도
나비의 꿈도 똑같이 일장춘몽이거늘!
이즈음 노래를 속으로 부를 때가 있다
노래 부르지 않을 때도 있다
노래를 거절할 때도 있다
꿈을 꾸지 않을 때도 있다
낮잠 한잠 자고 나면 괜찮을 때도 있다

먼 미래

너무 먼 미래를 생각하는 것보다
강가의 나무를 쳐다보는 게 낫다
영하권 날씨와 함께
이루어질 수 없던 옛사랑과 함께
2월 공지천변을 걷는 게 낫다
자신의 보폭만큼 걸으면 된다
퇴역 장성처럼 걸으면 되고
누군가의 이름을 부르며 걸어도 된다
또 퇴직자처럼 걸으면 된다
혼자 사는 이처럼 걸으면 된다
이 동네 주민처럼 걸으면 된다
사는 게 헛꿈인 듯
하루쯤 착각하고 살면 된다

상계 백병원

지하 3층
집사람 ct 찍으러 들어가고
혼자 보내는 시간
혼자된 시간
침묵보다 더 깊은 침묵
이 이명(耳鳴)!

동굴 속에서 물 떨어지는 소리
초침 소리가 일정하게 그것도 아주 크게 들리는
이 시간은
어디서부터 시작되는 것인가
공백 하나 없는
오로지 초침 소리만 한가득 꽉 찬 것 같은
꿈속도 아니고 꿈 밖도 아닌
이 시간은 누구의 것인가
이 꿈은 누구의 것인가

밑 빠진 독 같은

황동규 신작 시집을 읽다
앉은자리서 한꺼번에 읽어버리던 관례를 깨고
꾸다 만 꿈인 듯 쉬었다 읽고 싶어
사흘째 되던 날
해 다 저물고 도저히 더 읽을 수 없을 때까지
어둠 속에서 읽었다
다 읽었다
내가 정말 다 읽었을까.
시 한 줄 쓰지 않고 한 사나흘 살아볼 때가 있다
시 한 줄 쓰지 않고
꿈속에서도 한 사나흘 살아낼 수 있을까
이 꿈은 또 누구의 것인가

불타는 지평선 1

도봉이 보이면 도봉을 보고
까치 떼 한 패가 되어 같이 지저귀면
까치 떼한테 마음 뺏기고
마음 뺏길 거 없으면
마음만 받고
마음 받아줄 거 없으면
일어나
노을 막 사라진 도봉 산자락을 보라

방금 앞에서
소나무에 등허리 탁 탁 부딪치면서
노루처럼 모둠발로 경중경중 뛰던
한쪽 다리 번쩍 들고
내리고
난도 높은 요가 동작하던 이를
신윤복 그림 속 동자처럼 훔쳐보리라

불타는 지평선 2

노을 속의 저 동자 같은 녀석도 있어야
저 그림은 완성된다
그대 가슴이든
저 지평선 노을이든
불을 붙였다

불에 타지 않는 것도 타고
꽃이 피지 않는 것도 피고
비에 젖지 않는 것도 젖고
농담 같지 않은 것도
한번쯤 쿡 찔러보고
꿈을 꾸지 않은 것도
한번쯤 꾸어 본다
혼자 할 수 있는 일이다

꿈에 사당3동 마을버스 타고

사당3동 산책길은 어디서 내려야 하는지
눈부신 기억과 견딜 수 없는
기억과 그냥 막연한 마음과 오리무중과
빛 같은 충동과 쏜살같은 시간과
수습할 수 없는 것과
한 움큼의 무모함과 맥락과 어긋남과…

사당솔밭도서관
갑을명가
삼거리
사당문화복지관
삼일공원
서달산
현충원 뒷산
커피 자판기…

바로 앞의 누군가를 부르듯이

인병진! 인병진! 인병진!
뒤쫓아가면서
마치 바로 앞의 누군가를 부르듯이
허공에 대고
육십 줄 노인이 혼잣말 하면서 지나간다
돌아보는 사람도 없다
쳐다보는 사람도 없다
그러나 누군가 대답을 해야 할 것 같다
넋이 나간 것도 같다
마치 언덕을 오르는 것 같다
그가 끝까지 갈 것 같다
오늘은 시가 먼 산보다 조금 더 멀리 갈 것 같다

불안

불안하면 끝까지 다녀오게 된다
하루에도 몇 번씩 다녀오게 된다
별놈의 생각이 다 들 때도 있다
그 끝에다 나무를 심었다가
뼈 같은 나무 한 그루 심지도 않고
나무를 뽑았다가
나무가 되었다가
나무 그림자를 지웠다가
나무 그림자를 삽으로 움푹 파냈다가
비밀이라도 묻을 것처럼
좀 더 깊게 파서
저 밑에 조금 더 저 밑에
뭐라도 묻어야 하는지
아님 그 밑에 땅속에 있어봐야 뭐가 얼마나 더 있는지
한 번 더 깊게 파낸다 해도
뒤집어엎어도
불안은 또 꿈처럼 돋아나는 것이다
불안도 공처럼 튀는 것이다

어제와 오늘 사이에서

어제의 시는

오늘의 시가 될 수 없다

어제의 시는 위험하고

오늘의 시는

불온하고 또 불안하다

어제의 적은

오늘의 적이

아니다

오늘의 적은 오늘 찾아올 것이다

어제의 꿈도

오늘의 꿈이

아니다

졸저, 『이 단순하고 뜨거운 것』(2023) 권두 인터뷰 중에서 몇 문장을 행만
바꿔놓은 것이다.

비밀

서울대 병원 본관 2층 심전도실 앞
등받이 의자에 앉아
등받이 하지 않고 앉아 있다
기다리는 일이 무엇인지
기다림은 또 어떻게 어둠이 되고 빛이 되고
얼마나 깊어지는지
그 끝을 아는지
그 꿈을 아는지
그 끝이 또 어디쯤 있는지
그 꿈이 또 어디쯤 있는지
기다림도 깊어지다 보면 비밀이 되는지
기다리면 조금씩 풀리는지
비밀은 누가 아는지
다음 예약까지 기다리기 어려우면 응급실로 바로 들어가면 돼
요!
옆에 있던 어느 스님의 제안이다
그가 집사람과 나의 대화를 옆에서 들었다는 것이다
산에 들어갔다고 세상을 등진 게 아니다
비밀이 조금씩 새나갈 때처럼

근황

서울대 봤다가 떨어지고 나서
친정 동네 지방대 나왔고
모 쇼핑센터 알바 한 것 빼면
평생 잔업주부로 살았다
그녀가 살았던 삶이 이것뿐이겠느냐?
몸이 아팠던 적도 있고
혼자 여행한 적도 있고
공연히 뜬구름 쫓아다닌 적도 있다
한눈 판 적도 있다
여고 땐 대통령이 죽었다고 통곡한 적도 있고
대통령을 잘못 뽑았다고
딱 한 번 분개한 적도 있다
오전엔 에프엠이나 들으며
꿈이 되었든 삶이 되었든
단순하게 또 심심하게 살아가는 중이다

싱글맘

남자 셋이서 막걸리 마시는데
옛날식 김치찌개 냄비째 놓고
라면 사리도 하나 넣은
강원도 막걸리 집
그 한 두어 시간 앉아 있던 중
혼자 두어 시간 내내
제 속을 털어놓던
딸 셋 혼자 키웠다는 사장님
왕따 때문에
매일 막내딸과 함께 등교했다는
싱글맘
사는 집은 애들끼리 살아라 하고
여주쯤 가서 혼자 살고 싶다던
전국 명찰을 다 순례했다는
그녀의 말 앞에서
남자 셋은 입을 다물 수밖에 없었다

낮술 이후

낮술 마시고
2024. 8. 28 오후 7시
서문여고 근처
커피 마시고
7호선
이수역 걷는 동안
나는 또 고개 툭 떨어뜨리고 걸었는가 보다
방금 긁은 커피값과 술값을 합산하고 있을 때
일행 중 친구 왈
"시인이여! 고개 들라"

작가 인터뷰

꿈의 공백

공백의 힘

○꿈의 공백은 무엇인가

꿈이 몇 개 안 남았다는 것 아니겠는가. 이제는 밥을 많이 먹을 나이가 아니듯 많은 꿈이 필요한 나이도 아니다. 굳이 말하자면 있는 꿈도 버려야 하고 없는 꿈도 버려야 할 것 같다. 삶도 견디기 힘들 때가 있지만 꿈도 견디기 힘들 때가 있다. 그게 또 꿈의 공백이고 삶의 공백 아니겠는가.

○삶의 공백도 그렇다는 것인가.

마음은 복잡하겠지만 단순한 삶이 될 수밖에 없다. 이때부터 신중해야 한다. 내가 아닌 것을 하나씩 버려야 한다. 소위 과거의 언어라는 것을 버리는 것이다, 내가 아닌 것들을 내가 버리는 것이다. 그러다 보면 공백이 생긴다. 다른 삶도 살아진다. 가볍고 경쾌할 때가 있다.

○근황이 좋은 것 같다.
　긴장할 때도 있지만 여유로울 때도 많아졌다. 자유도 여유도 스스로 깨닫는 것이고 시도 삶도 철학도 스스로 깨닫는 것이다.

○요새도 밤 산책 하는가
　그렇다. 시간은 조금 당겼다. 날씨 탓이다. 그 외엔 그럭저럭 지내는 편이다.

○그럭저럭 지내는 것 같지 않다
　아니다. 그럭저럭 지낼 뿐이다. 무위도식할 때도 있다. 그러나 또 어떤 열정과 집중이 고마울 따름이다.

○지난 연말엔 산문집도 상재하지 않았는가. 그 산문집 앞날개 약력을 보면 신작 시집도 있지 않은가.
　고맙다.

○이번에 이 시집과 또 한 권의 시집을 동시에 출간하지 않았는가.
　그렇게 되었다.

○이런 것도 혹시 공백의 힘인가.

　그렇다. 공백의 힘일 것이다. 공백은 허전한 것이 아니다. 공백은 쓸쓸함이나 슬픔이나 분노가 싹트는 곳이다. 때때로 그런 것조차 싹 밀어낸 것이다. 운이 좋으면 불빛 한 점 같을 때도 있고 꽃 한 송이 같을 때도 있다. 어떤 틀로부터 조금씩 이탈하고 있다는 것이다. 두서없는 말 같지만 그 공백으로부터 뭔가 발견하고 또 뭔가 발명하게 되는 것 같다. 사치스럽기도 하겠지만 좀 과장하자면 삶의 여백과 같은 것이다. 나름 유희(遊戲)의 공간일 수도 있다. 그 또한 고스란히 나의 착각일 것이다. 괜한 공상과 같을 것이다.

○그래도 비현실주의자보다 현실주의자에 가깝지 않은가.

　그쪽 계열에 속할 수밖에 없었다. 그러나 요즘엔 허무주의자가 되어 가는 것 같다.

소는 누가 키우나

○침묵과 공백은 다른가.

우선 침묵을 해야 공백이 올 것이다. 공백은 또 침묵의 순간이 될 것이다. 앞에서도 언급했다시피 과거도 버리고 과거의 언어도 버려야 한다. 침묵이나 공백은 공짜가 아니다. 아무나 산문(山門)이나 문단에 드나드는 게 아니다. 농담이다. 입산은 나이 제한도 있다고 들었다. 그렇다면 산문은 몰라도 문단은 아무나 드나드는 게 맞다. 이를 테면 문학 계간지, 중앙 일간지 신춘문예, 3회 천료 등등 이젠 그런 것도 없다. 중앙지도 지방지도 없다. 벽도 없고 문도 없다. 산도 없고 물도 없다. 아무나 쓰고 아무나 읽으면 된다. 풍문에 의하면 오죽하면 어디 가서 누구한테 배우고 익히면 된다.

○시는 누가 읽어야 하나.

시는 결코 쓰는 자의 것이 아니다. 시는 읽는 자의 것이다. 세상의 모든 책도 마찬가지다. 세상의 모든 음식도 마찬가지다. 먹지 않는 음식은 그림의 떡이다. 그렇지 않은가. 한국 시의 낭패는 어쩌면 읽지 않고 쓰는 쪽에 휩쓸린 탓도 있다. 과연 동도제현의 시를 얼마나 읽고 있는가. 나부터 유구무언이다. 그러나 또 머리맡에 시집을 두고 읽던 그런 시대는 돌아오지 않을 것이다. 간밤의 숙취를 해결하기 위해 아침에 햄버거를 먹는 시대가 되었다.

○시는 어디 있나.

손끝으로 시를 타이핑하는 과정이 아마도 시일 것이다. 시가 되기 그 이전의 어떤 지점이 시일 것이다. 진실이나 진리도 그 찾아가는 마치 뭔가 막 되어가는 그 과정이 진실이고 진리일 것이다. 사랑도 그럴 것 같다. 손끝에 닿기 바로 직전의 그 무엇이 아닐까.

나는 누구인가

○시는 무엇인가.

마치 나는 누구인가 하고 되묻듯이 시가 무엇인지 되묻는 게 중요하다. 나는 누구인가 묻지 않으면 나는 금세 타자가 된다. 스스로 되묻지 않으면 이미 타자의 생각과 타자의 삶에 휩쓸려 있는 것과 같다. 마치 한국 시가 시를 읽지 않고 시 쓰기에 급급한 것과 마찬가지다. 그 타자의 권력은 생각보다 힘이 세다. 그의 힘이 미치지 않은 곳이 없다. 어쩌면 그 막대한 권력이 여기저기 정해놓은 배역을 차마 뿌리치지 못할 것이다. 시는 그것으로부터 벗어나는 것이다. 시는 그것으로부터 멀리 달아나는 것이다. 예컨대 탈피하는 것이다. 그것으로부터 이탈하는 것이다. 한 번 더 일탈하는 것이다.

○나는 무엇인가.

바로 여기서 나는 누구인가? 되묻게 되면 철학이 되는 것이고 인문학이 되는 것이고 참선이 되는 것이다. 그게 또 화두가 되는 것이다. 선방이 따로 있는 게 아니라 자기 자리에 앉아서 하면 되는 것이다. 타자의 문법을 털어내는 것이다. 예컨대 일회용 마스크도 벗고 마치 나를 닮은 듯한 이 가면도 저 가면도 벗어나는 것이다. 가급적 몸에 걸친 누더기도 벗자. 그러다 보면 어떤 맥락과 닿게 될 것이다. 또 어디 가서 뭘 먹었다 그런 것은 나의 것이 아니다. 차라리 내가 뭘 어떻게 만들어 먹었다 하는 게 훨씬 낫다. 내가 아닌 것을 내려놓자. 로봇도 되지 말고 꼭두각시도 되지 말자. 나이를 먹을 만큼 먹었으면 이제는 젊은 날처럼 무얼 꾸역꾸역 먹기 위해 사는 것은 아니다. 오랫동안 여기저기서 보고 배우고 익혔던 것을 이제 조금씩, 조금씩 갱신하여 좀 더 창의적으로 살아야 하지 않겠는가. 그리하여 비우고 또 비우다 보면 침묵에 이르고 공백에 이르지 않을까. 그곳에 시가 있고 그곳에 허구 또는 허무가 있지 않을까.

개소리

○개소리가 뭔가.

　기교나 수사 등등 이런 것 없이 그냥 가자는 것이다. 상징이
나 은유 이런 것도 없이 그냥 가자는 것이다. 시는 유령이 지
배하는 것도 아니고 유령들에 의해 농락 당하는 것도 아니다.
그냥 한쪽 구석에 낯선 어둠처럼 웅크리고 있는 것이다. 몰락
한 자들의 거처일 뿐이다. 때때로 타락한 자들의 몰골일 뿐이
다. 옛 시인들이 살다간 폐허나 장미촌 같은 곳이다. 개소리
같지만 나는 내가 아니다, 아니다 하고 시작하는 것이 중요하
다. 나는 타자다, 타자다 하고 시작하는 것이 중요하다. 그러
나 대부분 그렇게 하지 못한다. 왜냐하면 그렇게 하면 타자와
어울리지 못하기 때문이다. 그냥 타자가 되어야 편할 때가 많
다. 외로움이 어디서 싹트는 지 알 것도 같고 괴로움이 어디서
싹 트는지 알 것도 같다. 우울이 싹트는 지점이기도 하다. 언
어가 도저히 도달할 수 없는 지점이다. 차라리 농담이 편하다.
농담이 지름길이다.

○농담은 무엇인가.

깜빡하고 말실수 하는 것이다. 의미 없이 말하자는 것이다. 누구 말마따나 앵무새처럼 지저귀지 말고 말하자. 또 한 번 언어의 권력으로부터 이탈하자는 것이다. 어딘가 헛구멍이라도 쥐구멍이라도 뚫어보자는 것이다. 상식이나 통념에 기대지 말자는 것이다. 진지하거나 복잡하게 생각하지 않는 것이다. 어디서든 정색하지 말자는 것이다. 틈만 나면 우스갯소리 하자. 개소리도 하고 헛소리도 하고 실없는 소리도 하자. 삶이라는 실체도 옳은 소리보다 농담에 가까울 것이다. 시도 그럴 것이다.

○농담은 어디 있는가.

언어 밖에 있을 것이다. 의미 밖에 있을 것이다. 무의미에 가까울 것이다. 시와 가까울 것이다. 무거움보다 가벼움에 가까울 것이다. 강한 것보다 약한 것에 가까울 것이다. 승자보다 패자에 가까울 것이다. 이른바 거대 양당이 아니라 아주 작은 소수 정당 같은 것이다. 또 다르게 말하자면 나와 아주 가까운 곳에 밀착되어 있다는 것이다. 또 좀 다르게 말하자면 남의 다리 긁지 말고 나와 아주 밀착된 내 다리 같은 시를 쓰는 게 중요하다는 것이다. 농담도 그런 곳 언저리에 있을 것이다. 그곳에 시가 있을 것이다. 나도 그곳에 있을 것이다. 내가 다가가지 못했던 곳이다. 나는 그곳을 떠나서 여기저기 방황하였던 것이다. 그냥 떠도는 게 아니라 어딘가 풀이 죽은 채 떠돌고 있었다. 유령을 쫓아다닌 것 같다.

○내가 시를 쓰는 게 아니라 시가 나를 쓸 때도 있다고 생각하는가.

　어느 인터뷰에선가 이미 했던 말이다. 시를 좀 오래 쓰다보면 그런 말을 할 때가 있다. 새삼스러운 말이 아니다. 이미 글 쓰는 동 업계에선 통용되는 말이 되었다. 내가 시를 쓴 것도 좋고 또 시가 나를 쓴 것도 읽으면 우선 내가 좋다. 이번 신작 시집이 그럴 것만 같다. 어쨌든 그때 나는 무엇보다 그 시와 정면으로 마주쳤다는 것이다. 물론 어긋날 때도 있다. 그러나 또 어긋났다 해도 그 시를 보면 마치 시가 나를 보는 것 같고 나도 나를 보는 것 같은 착각에 빠진다. 일장춘몽이라 해도 나를 다시 만난 것만 같다. 장주가 나비가 된 꿈을 꾸어도 좋고 나비가 장주가 된 꿈을 꾸어도 좋다. 그때가 또 희열일 것이다. 반전의 반전이다. 지루하던 일상이 지루하지 않게 된다. 기쁨이다. 시에서 맛볼 수 있는 맛이다. 황홀한 맛이다. 고통 뒤의 맛이다. 그러나 곧 헤어져야 할 것이다. 한여름 밤의 꿈과 같은 것이다. 신화는 없다. 진리도 없다. 주체가 없다. 줏대도 없다. 메시지도 없다. 논리 같은 것도 없다. 인과도 없다. 의미도 없다. 대상도 없다. 몰락일 뿐이다. 그러나 나는 자유가 부족했다. 관념에 빠져 있었다. 메시지를 보내곤 했다. 도덕을 앞세웠다. 교훈적이었다. 주제넘게도 뭔가 가르치려고 하였다. 기승전결을 중시하였다. 관념을 앞세울 때도 많았다. 정치가도 아니면서 왜 사회와 싸웠다는 것인가. 이를 테면 유희나 자유를 모르는 것도 아닐 텐데…. 잠시 여기서 연못가에 앉아 나의 포커스를 들여다보자. 가령, 문학에 눈 뜰 때부터 일찍이 허무주의자였는데도 불구하고 대상을 놓치면 시도 놓치

고 시인이라는 타이틀도 다 놓치는 줄만 알았다. 외롭지 않아
도 외로웠다. 괴롭지 않아도 괴로웠다. 외로워도 시를 쓰고 괴
로워도 시를 쓴다. 어제도 쓰고 오늘도 쓴다. 시가 오고 나는
쓴다. 내가 쓰면 시가 온다. 사랑보다 더 뜨거운 불륜을 저지
르는 것만 같다. 시를 위해서라면 역모든 무엇이든 딱 한번 용
서할 것 같다. 그러나 애인도 연인도 하룻밤 꿈만 같다. 이제
꿈을 꿀 사람도 없지만 꿈을 깨울 사람도 없다. 그런 세상이
되었다. 어둡고 무거운 세상이 되었다. 농담이 없는 세상이다.
왜 이렇게 되었나. 신념도 이념도 빛나지 않는다. 빛나는 게
없다. 이게 빛이다 하는 순간 그것은 빛이 아니다. 시도 마찬
가지다. 삶도 마찬가지다. 딱 부러지게 할 수 있는 말이 별로
없다. 그게 맞다. 시를 잊어야 한다. 노래도 잊어야 한다. 한국
정치도 잊어야 한다. 한국 교육도 잊어야 한다. 웃는 사람이
없다. 알고 보면 우는 사람도 없다. 옛 생각이 나서 앞에 앉은
사람을 더 쳐다보지 못했다.

무제 혹은 미제(未濟)

○잠깐, 저 앞에서 말한 나와 아주 밀착된 시는 또 어떤 것인가.

　나와 아주 밀착된 시는 자전적인 것을 말한다. 매우 사적인 것일 수도 있다. 심하게 말하자면 지나가는 개가 쳐다보지 않을 수도 있는 사생활 같은 것이다. 처삼촌 벌초하는 것보다 더 못할 수도 있다. 어쩌면 독자도 없이 나의 고독과 함께 나 혼자 골방에 틀어박혀 읽어야 하는 것이다. 그래도 나 혼자 읽어도 좋다는 것이다. 다만, 그 순간! 그 순간! 나와 나의 시와 눈이 딱 마주쳤다는 것이다. 나와 내가 아무도 몰래 내 사랑과 눈이 딱! 마주쳤다는 것이다. 첫눈에 반했다는 것이다. 나의 시는 오로지 나 자신이 되어야 한다는 것이다. 이번 시집이 내내 그러할 것이다.

시가 아닌 것

○이제 시가 아닌 것도 말할 때가 되었다. 너무 언어에 의지해서 믿고 쓴 시도 돌아볼 때가 되었다. 시가 너무 언어에 끄달리는 것도 문제라는 생각도 한다. 가령 절실하다든가 절절하다든가…. 이미 마이크를 내려놓은 시인들도 있다. 업종을 바꾼 시인들도 있다. 노선을 바꾸거나 크게 전향한 시인도 있다. 세상을 떠난 시인도 있다. 문단을 떠난 시인도 있다. 징징대는 시도 많고 징징대는 시인도 많다. 내 친구도 시인이다 하고 시인 앞에서 꼭 그렇게 말하는 독자 혹은 일반인도 있다. 시를 보면 시를 쓴 시인은 간 곳이 없고 언어만 둥둥 떠다니는 것 같다. 시 옆에 시인이 나무처럼 서 있는 시도 있다. 시가 태어나는 자리 아니겠는가. 그리고 왜 또 시가 슬플 까닭이 있겠는가. 시는 이제 아무것도 아니다. 어려운 말이지만 정치의 길도 시의 길처럼 단일대오 이런 게 아니라 독자노선 같은 것 아니겠는가. 아닌가. 시 안에 뭐가 있어야 하는가. 아니다. 시인은 왜 아웃사이더가 되어야 하는가. 주류의 일부가 아니라 왜 스스로 주류가 되어야 하는가. 모든 화살의 끝을 나를 향해 돌려놓아야 하는가.

그만 하자.

○어떤 의미를 발견해야 하는가. 어떤 의미를 전달해야 하는가.

시는 어떤 의미를 전달하지 못하는 것 아닌가. 시는 무엇을 전달하지 않는다는 것을 이번 시집에서 확 깨닫는 중이다.

○개안(開眼)한 것 같다.

개안이라니 무슨 소리하는가. 다만, 선승들이 동안거, 하안거 하듯이 시를 써서 시집 몇 권 더 낸 덕분인 것 같다. 수행자가 벽을 바라보듯 시인은 시를 바라볼 수밖에 없다. 최선을 다 할 뿐이다.

언어의 한계

○언어도 결국 한계가 있다는 것인가.

　아무리 많은 언어를 쏟아 부어도 실재가 아니다. 그냥 중얼중얼 하는 게 낫다. 내가 정말 무슨 말을 하는지 모를 때까지 하자. 한쪽 옆으로 졸졸 새는 말도 하자. 때론 잘 들리지 않는 말도 하자. 소통하지 말자. 시는 소통의 언어가 아니다. 어두운 골방의 언어다. 어둠의 언어다. 이를 테면 사회적 관계의 언어가 아니다. 내가 속았다. 아니다 내가 시를 속였다. 아니다 내가 나를 속였다. 잠시 시를 멈추어야 하겠다. 언어의 한계가 아니라 시의 한계라는 게 있다. 한 번 더! 언어의 불확실성이 아니라 시의 불확실성을 알아채야 한다는 것이다. 시를 너무 믿고 살았다. 언어를 너무 믿고 살았다. 시도 언어도 사탕이었다. 사탕은 결코 사랑이 아니다. 사랑은 결코 사탕이 아니었다. 언어도 보잘 것 없고 시도 보잘 것 없는 것이다. 언어도 부족하고 시도 부족할 따름이다. 언어도 혼자 있으면 불안하고 시도 혼자 있으면 불안할 뿐이다. 가는 손목 같은 나뭇가지라도 붙잡아야 한다. 어불성설 같지만 역사도 부족하고 불안할 것이다. 한 번 더! 정의나 진리도 부족하고 또 불안할 것이다. 그러나 또 불안하고 부족하기 때문에 그들은 그곳에 있을 것이다. 언어도 시도 마찬가지일 것이다. 시가 되지 않는 것이 곧 시가 되는 순간이 또 하나의 아이디어일 것이다. 화요일 오후 한낮의 무관객 토론 한마당이다. 얼쑤!

시는 빵이 아니다

○시는 빵이 아니다.

시는 책상이 아니다. 시는 애매모호한 것이다. 시는 앙꼬 없는 빵이다. 내용이 없다. 우물에서 숭늉을 찾지 말자. 본래 덧없는 것이었다. 덧없지 않은 것이 어디 있으랴. 덧없다. 시는 때때로 동어반복이다. 오해하지 마라. 시를 괴롭히지 말자. 독자를 괴롭히지 말자. 시인을 괴롭히지 말자. 학생들을 괴롭히지 말자. 축구팬들을 괴롭히지 말라. 약자를 괴롭히지 말라. 소수자를 괴롭히지 말라. 소상공인을 괴롭히지 말라. 생업에 집중해야 할 국민들을 더 이상 괴롭히지 말라.

○그래도 언어가 빵이다.

맞다. 시는 언어 없이 먹을 수가 없다. 시야말로 언어의 빵이다. 오늘 오전에도 뭔가 끄적거린 종이를 씹어서 먹었다. 언어의 종이였다. 시는 언어로 이루어진 거푸집이다. 어디선가 누군가 했던 말 같은데 그냥 갖다 쓰겠다. 그 비슷한 말은 하이데거가 했던 것 같다. 그는 언어를 강조했었다.

○시는 언어를 뛰어넘으려고 한다.

시는 논리를 뛰어넘으려고도 한다. 시는 언어로 말하는 것이다. 그러나 장대높이뛰기 선수처럼 언어를 뛰어넘어야 한다. 시는 논리를 피할 수가 없다. 그러나 또 논리를 뛰어넘어야 한다.

○좋은 독자는 누굴까.

시인이 모르고 한 말까지 잘 알아듣는 사람이다. 어려운 일이지만 더 좋은 독자는 시인에게 어떤 아이디어를 주는 사람이다. 그러나 다행스럽게도 시인은 독자를 만날 일이 없다. 그게 맞다. 독자를 일일이 만나러 다니는 시인은 아주 특별한 시인일 것이다. 독자와 시인은 오히려 어긋나는 게 맞다. 암튼 김수영도 김종삼도 독자들을 만나러 다니는 그런 일을 일삼지 않았을 것이다. 물론 그 선배 시인들은 그럴 만한 시간도 없었을 것이다. 그럼에도 불구하고 좋은 독자라면 시도 만나야 하고 시인도 만나야 하리라.

○무엇을 읽어야 하나.

예컨대 여기서도 그냥 정견(正見)만 하면 된다. 정견은 아시다시피 있는 그대로 보는 것이다. 그렇다면 정독하면 되는 것이다. 텍스트 밖에 있는 것을 끌어다 댈 필요도 없거니와 굳이 무엇을 염두에 둘 까닭도 없다. 내용이나 의미를 유추할 것도 아니다. 평범하게 말하면 시와 독자도 좋은 독자를 만나고 좋은 시를 만나면 된다. 여기서 더 할 말은 아닌 것 같다. 비록 인터뷰이지만 더 나가면 메시지가 드러날 것이고 아예 산문으로 빠질 것 같다.

○시는 예술인가.

　시는 일단의 장르로부터 이탈한 것 같다. 예술이니 본령이니 본질이니 그런 말들은 이제 코미디가 되었거나 이미 유통 기한이 지났다. 예술이라는 장르가 좀 남아 있다면 점점 쇠퇴하는 길밖에 없다. 쇠락하는 길밖에 없다. 몰락하는 길밖에 없다. 더 이상 고상하지도 않고 고고하지도 않다. 예술이나 장르라는 말도 일종의 벽이다. 벽은 쌓는 게 아니라 무너뜨리는 것이다. 벽이야말로 어떤 한계와 경계를 정해놓은 것이다. 벽도 이른바 고정관념일 것이다. 예술도 그 벽 같은 제도만 남은 것 같다. 모든 예술의 역사가 서서히 저물어 간다는 것을 부정할 수 없다. 이것은 슬프거나 또 분개할 일이 아니다. 그냥 그렇게 큰 흐름이 되어 버린 것이다. 논리나 담론이나 대안이 끼어들 틈이 사라졌다.

○시는 만들어지는 것인가.

　시는 만들어지기도 하지만 시는 때때로 덜컥덜컥 태어나기도 한다.

불완전한 세계

○시는 안락한, 가능한 세계에 머무는 게 아니다. 그런 세계를 파괴하고 넘어서려는 것인가.

시는 안락보다 불편하고 고통 받는 것이다. 시는 긍정성보다 부정성을 갖는 것이다. 시는 가능한 세계보다 가령 단절, 고립, 대립, 붕괴 등과 동맹 관계인 불완전한 세계다. 시는 가능한 세계가 아니라 불가능한 세계다. 또 실패하는 것이다. 철들 수 없는 직업군이다. 그리고 구시대적 어법 같지만 소위 자기 시대에 대해 좀처럼 납득하고 수긍하기 어렵기 때문에 방황하고 떠도는 것이다. 그 끝을 알 수 없다. 이루어질 수 없는 사랑이라 하여 그 사랑을 멈출 수 있는 것도 아니다. 그 끝을 알고 하는 것이 아니다.

○그 끝에 남는 게 무엇인가. 슬픔인가.

그것을 알 수가 없다. 그것을 또 알 필요도 없다. 기쁨이나 슬픔 뒤에 남는 것을 굳이 말할 까닭이 없다. 마치 시의 끝이 무엇인지 모르는 것과 마찬가지다.

불화(不和)

○시는 세상과의 불화인가.

　시는 시를 쓰는 내내 자기 자신과도 불화를 겪는 것이다. 시는 불화의 과정이다. 세상과의 불화는 시인이 겪어야 할 운명 같은 것이다. 그것을 피할 방법이 없다. 시인이나 시가 손에 넣을 것이 없다. 그러나 또 글 쓰는 이 길밖에 길이 없다. 무력하기 짝이 없지만 그 무력한 것이야말로 문학의 힘일 수밖에 없다. 아이러니하겠지만 무력하기 때문에 문학은 또 그만한 힘이 생기는 것이다. 그러나 그 힘을 다 퍼내야 한다. 매일매일 반복하듯이 그 힘마저 비워내야 한다.

○그대는 방황하고 있는가.

　나의 산책은 방황의 다른 이름이다. 나의 사유(思惟)는 방황의 다른 이름이다. 나의 글쓰기는 나의 방황의 기록일 것이다. 다만 그 방황이나 산책이나 사유를 붙잡고 사는 것보다 놓아줄 때가 많다. 그것을 탈(脫)방황이라고 부르고 싶다. 그것도 나름 자기만족일 것이다.

○쓸데없는 방황인가.

　그렇지 않을 것이다. 쓸데없는 방황이란 없다. 방황도 약이다. 그러나 또 그것을 알 수가 없다. 세상사도 인생사도 알 수가 없다. 모르겠다. 흘러갈 뿐이다. 갈지자로 걸을 뿐이다. 그리고 나는 쓴다. 내 주먹은 내가 쥐어야지 남이 대신 쥐어줄 순 없다.

○구시대가 또 반복되는 것만 같다.

　제도나 형식, 인물도 구시대를 벗어나지 못했다는 뜻이다. 뭔가 흘러가는 게 아니라 빙빙 돌고 있는 것만 같다. 오죽하면 한 시대가 아니라 한 세대를 홀쩍 건너뛰면 어떨까 하고 생각할 때가 많다.

○사족 하나.

아무튼 시대든 세대든 실패하고 또 패배하자. 그게 혁명이다. 그게 또 시다. 길이 없는 곳에 길이 있다. 시가 아닌 곳에 시가 있다. 좀 엉뚱한 사람, 여기가 아니라 저기 있는 사람, 혼자 있는 사람, 고개 떨어뜨린 사람, 국대 축구 TV 시청 끊은 사람, 소위 대세나 시류를 따르지 않는 사람, 역모 혹은 반역자, 드라마에 빠진 사람, 카페에 혼자 앉아 있는 여자, 웃는 사람, 냉소, 조소, 미소, 내 힘이 미치지 않는 것은 거들떠보지 않는 사람, 혼자서 하는 사람, 혼자 읽고 혼자 쓰는 사람, 오래도록 혼자 걷는 사람, 자비출판, 한정판, 가칭 제3지대 혹은 6070 시인선 기획, 김관식 시인이 지었다는 홍은동 산 1번지 무허가 주택, 그 집에 세 들어 살던 시인 1, 시인 2, 무얼 가르치려고 하지 않는 사람, 정답이 없다고 생각하는 사람, 이것은 이것대로 좋고 저것은 저것대로 좋다는 사람, 삼류들의 세상, 몸이 아픈 사람, 건망증자, 자기 생각에 빠진 사람, 공(空)을 아는 사람, 자기만족, 무위도식, 비현실적, 비사교적, 비대상, 무의미, 부정성, 환속, 퇴폐, 경로우대, 비몽사몽, 북 치고 장구도 치는 1인극, 정치적 사회적 문제에 대해 관심 없는 사람, 사극 따위 보지 않는 사람, 시인의 산문을 잡문 취급하는 사람, 종종 틀리게 말하는 사람, 진지하지 않은 사람, 이것저것 웃어넘기는 사람, 정색하지 않는 사람, 가짜 뉴스, 가짜 양주, 사기꾼, 철면피, 헛수고, 용병, 무용(無用), 번외, 침묵, 공백, 빈말, 하루가 멀다 하고 여기저기 돌아다니기, 비판적이며 창조적인 사고 유지, 틀을 깨는 것, 각자도생, 삶과 시에 대한 사유와 기록….

○시는 고정된 것이 아니다.

　당근이다. 고정된 것은 언어뿐이다. 아니다. 모든 권력은 고정된 것 같다. 보라, 여의도든 지자체든 말할 것도 없다. 보라, 흐르는 물을 보라. 위정자들은 과거를 잊고 사는지 몰라도 일반 국민들은 과거를 잊지 않고 있다. 누구든 국민들이 잊지 않고 있는 섬뜩한 과거에 대해 함부로 말하지 말라. 당신들이 생각하는 것보다 정의나 상식 앞에서 많은 국민들은 결코 좌고우면하지 않는다. 또 꿈같은 말이겠지만 아무튼 정치판도 바뀌어야 하고 국민도 바뀌어야 한다. 지자체도 바뀌어야 하고 중앙정부도 바뀌어야 한다. 교육도 바뀌어야 하고 더 늦기 전에 수능도 바뀌어야 한다. 시도 바뀌어야 하고 시인도 바뀌어야 한다. 문단도 바뀌어야 하고 독자도 바뀌어야 한다. 그리고 상대방이 다르다는 것도 인정해야 하고 다양성도 더 크게 인정해야 한다. 과거 어느 시대처럼 다 내놓으라고 할 수도 없고 어느 한쪽이 다 가져갈 수도 없다.

○AI가 곧 도래해야 할 것 같다.

오죽하면 그를 기다리고 있겠는가. 이를 테면 정치, 교육, 공공분야 등등 물밀 듯이 밀려올 것이다. 너도나도 챗지피티한테 물어보겠는가. 그가 손안에 있지 않은가. 한국 사회 각 분야 양극화 문제도 그에게 물어봐야 할 것 같다. 그래도 웃자. 한 번만 더 웃자.

○최근 읽은 시집.

정현종 전집을 읽었다.

○누가 장주(莊周)의 꿈을 깨울 것인가?

어느 뒷방에서 타이피스트처럼 시만 쓰고 있다는 꿈이 몇 개 안 남았다는 자를 삼고초려해야 할 것 같다.

누가 장주의 꿈을 깨울 것인가

ⓒ강세환, 2025

1판 1쇄 인쇄__2025년 06월 10일
1판 1쇄 발행__2025년 06월 20일

지은이__강세환
펴낸이__양정섭

펴낸곳__경진출판
　　　　등록__제2010-000004호
　　　　사업장주소__서울특별시 금천구 시흥대로 57길 17(시흥동, 영광빌딩), 203호
　　　　전화__070-7550-7776　팩스__02-806-7282
　　　　스마트스토어__https://smartstore.naver.com/kyungjinpub
　　　　이메일__mykyungjin@daum.net

값　12,000원
ISBN　979-11-93985-77-9　03810